Walt Disney

MARY POPPINS

Disney HACHETTE ÉDITION

A collaboré à cet ouvrage : Marie Tenaille pour le texte.

1

C'était le printemps. Un soleil radieux brillait sur la ville de Londres, les arbres étaient en fleur et l'air tiède embaumait. Les enfants étaient sortis au parc pour lancer des cerfs-volants. Ils riaient et couraient contre le vent, tombant parfois, salissant leurs chaussettes et râpant leurs chaussures, mais riant toujours.

Quelques promeneurs s'arrêtaient pour écouter le joyeux Bert qui chantait et qui dansait en s'accompagnant de ses instruments de musique.

« Vent d'est, promesse ! annonça Bert. Quand le vent tournera, quelqu'un de nouveau arrivera dans l'allée des Cerisiers ! »

Cette allée était la plus belle du quartier :

au numéro 15 vivait le fameux amiral Boum, retraité de la Marine royale, dont l'extravagante habitation évoquait la silhouette d'un navire ! De la dunette de son bâtiment, l'amiral surveillait l'horizon. À huit heures précises du matin, comme à six heures du soir, il tirait le canon ; de quoi faire trembler tout le voisinage.

Mlle Clark, une demoiselle grassouillette, calme et charmante, habitait au numéro 19, avec son cher Robert, un petit chien à qui ne semblait manquer que la parole.

Au numéro 17, dans la jolie demeure des Banks, tout allait mal une fois de plus. Mme Brill, la cuisinière, et Helen, la femme de chambre, se disputaient au sujet de la nouvelle gouvernante qui avait déjà décidé de les quitter.

« Il ne faut pas qu'elle parte ! hurlait Helen.

– Et pourquoi non ? répondait Mme Brill. Nous n'allons pas la supplier.

– Katie Nounou, restez ! implorait Helen qui bloquait le passage vers la sortie. Je ne veux pas m'occuper des enfants !

– C'est la dernière fois que ces deux monstres m'échappent ! criait Katie Nounou hors d'elle. Pour tout l'or du monde et les joyaux de la Couronne, je ne passerai pas une minute de plus dans cette maison ! Laissez-moi passer…

– Qu'elle s'en aille, bon débarras ! » bougonnait Mme Brill, exaspérée.

C'est à ce moment précis que la porte s'ouvrit. Mme Banks revenait tout excitée d'une manifestation pour le droit de vote des femmes.

« Notre meeting a été sensationnel! s'exclama-t-elle. Nous allons secouer les traditions! nous faire entendre. Enfin!

– Mme Banks, j'aurais un mot à vous dire..., intervint Katie Nounou à plusieurs reprises.

– Formidable! continuait Mme Banks sans rien écouter. Nous allons venger nos mères et nos grand-mères. En avant!

– Mme Banks! reprit Katie avec énergie. Je voudrais...

– Qu'est-ce qu'il y a, Katie Nounou. Où sont les enfants? Je ne les vois pas.

– Madame, les enfants ont encore disparu!

– C'est la troisième fois, Katie. Faites donc attention!

– Non, la quatrième, madame, et la dernière.

– Quoi? Comment? Katie Nounou, réfléchissez, allons!

– C'est fait, madame. Je n'attends plus que mes gages.

– Monsieur arrive dans un instant. Que dira-t-il quand il apprendra que les enfants ne sont pas rentrés et que vous partez ? Il commençait seulement à s'habituer à vous ! »

Six heures moins deux minutes... Sur sa dunette, l'amiral Boum s'apprêtait à commander à Boussolin, son ordonnance, de tirer la salve de fin d'après-midi.

C'était l'heure exacte à laquelle passait M. Banks, qui quittait son bureau de la banque Davis, Thomas, Mousley, Grubbs et Cie, pour regagner son domicile au numéro 17 de l'allée des Cerisiers.

« Beau temps, amiral ! lança aimablement le banquier, toujours impeccable, l'œillet à la boutonnière.

– Le vent se lève, nous allons avoir du mauvais temps ! » assura l'amiral.

BOUM ! Le canon tonna au moment où Georges Banks gravissait les marches de son perron, tandis que Katie les descendait

« Laissez-moi donc vous aider », proposa M. Banks galamment.

Il saisit la valise de la nurse, l'aida à monter dans le fiacre qui l'attendait et lui passa son bagage sans s'étonner de rien. Le cocher fouetta son cheval et la voiture s'ébranla.

M. Banks rentra chez lui, satisfait.

Son fauteuil et sa pipe l'attendaient comme chaque soir. Mais que se passait-il ? ses enfants ne se présentaient pas, lavés, coiffés, souriants, pour lui dire bonsoir.

« Winnifred ! Où sont les enfants ? »

Son épouse arriva, le visage ravagé d'inquiétude.

« Jane et Michael ont disparu..., lâcha Mme Banks.

– Katie ira les chercher !

– Georges ! Katie nous a quittés ! »

M. Banks songea soudain au fiacre qui venait d'emporter la bonne d'enfants. Bon ! il allait prendre les choses en main.

Il se dirigea vers le téléphone et demanda la police d'un ton autoritaire.

« Allô ! ici, Georges Banks. Voulez-vous envoyer un agent au numéro 17 de l'allée des Cerisiers. C'est urgent, merci. »

Il n'eut pas le temps de raccrocher que déjà la sonnette retentit !

Mme Banks se précipita pour ouvrir: « Georges, l'agent est là!

– Vous êtes rapide dans la police! constata son mari.

– J'étais en service, expliqua l'agent, et j'ai rencontré deux objets de valeur qui semblaient égarés. Je crois qu'ils vous appartiennent! »

L'homme se retourna et tira de l'obscurité deux enfants qui paraissaient exténués: une petite fille blonde aux collants troués, un jeune garçon au visage marqué de larmes qui tenait sous son bras un cerf-volant brisé.

« Jane ! Michael ! bredouilla leur mère en les serrant dans ses bras. Que vous est-il arrivé ?

– Winnifred, pas de sentiments, je vous prie !

– Permettez ! Je crois qu'il ne faut pas les gronder, conseilla l'agent. Ils ont eu peur et ils ont marché longtemps ».

Les enfants tentèrent de s'expliquer : « On n'a pas fait exprès de perdre Katie Nounou !

– C'est le cerf-volant qui s'est sauvé ! ajouta Michael.

– Ce sont des choses volages..., conclut gentiment le policier.

– Cela me regarde. Merci, monsieur l'agent ! coupa M. Banks. Passez à la cuisine où l'on vous servira un rafraîchissement. »

Vexé, l'agent déclina poliment l'invitation et sortit.

Dès son départ, M. Banks sonna la femme de chambre.

« Emmenez Jane et Michael. Occupez-vous d'eux ! » ordonna-t-il d'un ton sévère.

« Ce n'est pas une nounou qu'il leur faut, maugréa Helen. C'est un gardien de zoo avec un fouet et une trique ! »

Au rez-de-chaussée, M. Banks arpentait le salon à grands pas. Son épouse, désolée, tenta de s'excuser :

« J'avais engagé Katie à cause de son air grognon. Je comptais sur son autorité, Georges. Je ferai mieux la prochaine fois !

– Six gouvernantes en quatre mois, toutes des nullités ! Vous avez manqué de discernement, ma chère Winnifred. Il faut de la perspicacité, du jugement pour choisir une gouvernante convenable ! exposa Georges Banks. Dans ces conditions, il serait donc préférable que je m'en occupe. Je vais passer une petite annonce dans le *Times*. Voulez-vous noter, s'il vous plaît ? »

Mme Banks, enchantée de laisser cette responsabilité à son mari, s'installa devant son bureau.

« On recherche, dicta M. Banks, plein d'enthousiasme, une nurse rigide, respectable et sans fantaisie... Elle doit être capable de faire observer la discipline, d'imposer des règles strictes, et de maintenir la tradition.

– Très bien, approuva Mme Banks, qui écrivait avec application ce texte. Splendide ! Le *Times* sera enchanté ! »

Il finissait de relire l'énumération des qualités requises, lorsque les enfants se présentèrent dans le salon.

Courageusement, Jane prit la parole :

« Nous regrettons beaucoup ce que nous avons fait !

– Je l'espère bien, acquiesça leur père.

– Nous promettons d'obéir à la prochaine gouvernante, poursuivit Jane. Et pour vous aider à la choisir, nous avons préparé une annonce tous les deux. Je peux vous la lire ? »

Réprimant son agacement, M. Banks écouta sa fille :

« On souhaite, déchiffra-t-elle, une nounou pour deux adorables enfants. Elle doit avoir les joues roses, être douce, jolie, patiente, savoir inventer toutes sortes de jeux, nous chanter des chansons... Elle ne

doit jamais être grognon, ni méchante, ni nous faire prendre de l'huile de ricin. Elle ne doit pas sentir la naphtaline…

– Ça, c'est moi qui l'ai ajouté…, précisa Michael.

– Assez de sottises ! coupa M. Banks. Allez vous coucher immédiatement ! Je suis pour la discipline ! » conclut-il avec autorité dès qu'ils eurent tourné les talons.

Sur cc, il sc lcva, prit la feuille de papier que lui avaient confiée ses enfants, la déchira soigneusement en quatre morceaux qu'il jeta dans la cheminée. Puis il alla décrocher le téléphone dans le vestibule.

« Passez-moi le *Times*, le service des petites annonces ! »

Tandis qu'il communiquait son texte à l'employé, les morceaux de l'annonce des enfants s'élevaient doucement par la cheminée et montaient dans les airs.

2

Le lendemain matin, un peu avant le coup de canon de huit heures, l'amiral Boum aperçut les bonnes d'enfants qui attendaient devant le perron des Banks.

« Affreux équipage! » commenta-t-il.

De leur fenêtre, Jane et Michael, effarés, observaient eux aussi la scène.

« Elles sont horribles! s'écria Michael.

– Ce n'est pas du tout ce que nous voulions! se lamenta Jane.

– Woua! » approuva le chien Robert.

« Monsieur! Il y a une horde de gouvernantes qui attendent dehors, annonça Helen, dois-je les faire entrer?

– J'ai dit huit heures, pas avant! » gronda M. Banks.

À ce moment, un formidable coup de vent s'engouffra dans l'allée des Cerisiers, balaya les affreuses gouvernantes, les souleva et les emporta comme des feuilles mortes ! Elles avaient beau s'accrocher aux grilles, le vent les chassait !

« Super ! Il ne va plus en rester une seule ! gloussa Michael, enchanté du spectacle. Jane ! regarde qui vient...

– Une gouvernante qui descend du ciel, suspendue à son parapluie ! Elle se dirige vers la maison !

– Ah ! c'est sûrement une sorcière..., murmura son frère, inquiet.

– Non, les sorcières se déplacent sur un manche à balai. Oh ! elle a les joues roses, et tout ce qu'on voulait. C'est ELLE ! »

L'inconnue se posa devant le numéro 17, franchit le perron, tira la sonnette avec la tête de perroquet de son parapluie.

Boum ! Le coup de canon de huit heures retentit.

« Helen, faites entrer les candidates ! Une à la fois ! recommanda M. Banks.

– Vous pouvez entrer, mais une par une », précisa Helen, qui resta bouche bée car il n'y avait plus qu'une personne dans l'allée.

La jeune gouvernante se rendit directement au salon.

« Bonjour, monsieur ! Je suis Mary Poppins. Vous êtes bien le père de Jane et Michael Banks ? »

Sidéré par une telle assurance, M. Banks s'informa :

« Vous m'avez apporté des références, je présume ?

– Parlons plutôt de mes qualités », riposta l'étonnante nurse. Elle fouilla dans son sac de toile et en tira une feuille soigneusement recollée : « Chapitre un : j'ai les joues roses, comme vous pouvez le voir ; chapitre 2 : je connais des chansons et des tas de jeux ; chapitre 3 : je suis d'humeur joyeuse ; chapitre 4 : je suis gentille…

– Excusez-moi ! où avez-vous trouvé ce papier ? » coupa Georges Banks en y jetant un regard inquiet.

Il se leva et alla inspecter la cheminée.

« Vous avez perdu quelque chose ? fit Mary Poppins.

– Non, non ! balbutia-t-il d'un air vague et tourmenté. Je suis pourtant sûr d'avoir jeté ces bouts de papier dans le foyer ! »

Imperturbable, Mary Poppins termina la lecture de l'annonce :

« Je suis gentille, mais très ferme. Il y a la question de mes gages qu'il faudra aborder. Notez que mon jour de sortie est le jeudi. Quant à la période d'essai, je vous accorde huit jours. Bon ! il est temps que je monte voir les enfants. » Et elle sortit.

Impatiente de connaître le résultat de l'entrevue, Mme Banks pénétra peu de temps après dans le salon :

« Aïe ! gémit M. Banks en se cognant la tête dans la cheminée qu'il examinait à nouveau avec soin.

– Vous avez déjà fait votre choix ? Comment est-elle ?

– Ça s'est passé si vite, ma chère Winnifred…

– A-t-elle vraiment les qualités que nous

souhaitons ? Sera-t-elle assez ferme, Georges ?

– Franchement, oui ! Je crois qu'elle le sera ! » conclut M. Banks.

Il appela la femme de chambre :

« Renvoyez les autres candidates. La place est prise ! »

Ne voulant pas contrarier son patron, Helen ouvrit la porte et s'adressa à Robert à défaut de gouvernante :

« La place est prise ! » annonça-t-elle au petit chien qui se leva et s'en alla docilement.

Pendant ce temps, la nouvelle gouvernante, juchée sur la rampe, montait jusqu'au palier où l'attendaient les deux enfants, les yeux ronds d'étonnement.

« Michael, fermez la bouche ! Vous avez l'air d'un poisson hors de l'eau ! Montrez-moi votre chambre, maintenant !

– C'est qu'elle n'est pas très en ordre…, avoua Jane.

– On se croirait dans une fosse aux ours ! constata Mary Poppins. À présent, je voudrais voir ma chambre, s'il vous plaît. Bon, ce n'est pas Buckingham Palace, observa-t-elle.

Toutefois, avec quelques arrangements, ça sera habitable... ! »

Michael avança doucement un doigt vers le curieux parapluie à tête de perroquet.

« Hé là, vous ! » râla celui-ci.

Michael sursauta et glissa d'un coup les mains dans ses poches.

« Il manque un petit rien par-ci, une jolie chose par-là ! » chantait la jeune femme d'une jolie voix.

Elle posa son bagage sur la table, en tira un portemanteau qu'elle posa sur le sol et y accrocha son chapeau. Les enfants l'observaient, captivés. Michael, intrigué, regarda à l'intérieur du sac.

« Cela ne se fait pas, Michael ! » gronda Mary Poppins.

Le garçon, époustouflé, chuchota à l'oreille de sa sœur :

« Il est vide ! Elle joue des tours... Méfions-nous ! »

Mary Poppins continuait d'installer sa chambre. La petite glace ne lui plaisait pas ; elle sortit un beau et grand miroir de son sac,

le suspendit au mur au-dessus de la commode :

« Je préfère voir mon visage en entier ! » décréta-t-elle joyeusement.

Michael s'était glissé à quatre pattes sous la table pour résoudre l'énigme du sac magique. Peine perdue, il n'y avait rien !

Mary Poppins fit encore surgir de son bagage vide une plante verte, un lampadaire tout allumé, une paire de souliers, des vêtements, et même un mètre-ruban pour mesurer les enfants ! Michael se tint bien droit pour paraître aussi grand que possible.

« Ah ! c'est bien ce que je pensais, nota Mary Poppins en lisant sur le mètre : " Très obstiné, très dissipé ".

Jane s'arrêta de rire quand ce fut son tour :

« Tendance à ricaner, désordonnée ! commenta Mary Poppins.

– Et vous ? Et vous ? » demandèrent les enfants avec intérêt.

Ils l'aidèrent à maintenir le mètre. Elle déclara, ravie :

« Mary Poppins, presque parfaite en tout !

– C’est votre nom ? l’interrogea Michael.
– Je trouve que c’est joli, ajouta Jane.
– Merci », répliqua la gouvernante.

Mary Poppins tira enfin de son sac un tablier blanc qu’elle noua autour de sa taille.

« Et maintenant, jouons à mettre de l’ordre ! proposa-t-elle.
– Je savais bien qu’il fallait se méfier, murmura Michael.
– C’est un vrai jeu ? s’inquiéta Jane.
– Vous allez le découvrir ! »

Mary Poppins fit claquer ses doigts et aus-

sitôt les vêtements oubliés sur une chaise s'élevèrent dans les airs, se secouèrent pour se défroisser et allèrent se ranger dans la penderie !

Clac ! Clac ! Le chapeau de Jane, la casquette de Michael filèrent vers le placard dont les portes s'entrouvrirent. Les draps et couvertures des lits se tendirent, la chemise de nuit de Jane se plia, se glissa sous l'oreiller, puis ce fut le tour du pyjama de Michael.

Jane claqua ses doigts ; un nounours sauta dans ses bras, la maison de poupée se redressa et les meubles reprirent leur place. Au claquement suivant, les livres se posèrent sur l'étagère.

« Amusant ! » reconnut Michael, et il essaya d'imiter sa sœur.

Ses petits doigts malhabiles refusaient de claquer. Il essaya encore et encore. Clac ! ses soldats se mirent en rang, clac ! au garde-à-vous, clac ! dans leur boîte. C'était parfait.

Mary Poppins et les enfants eurent vite fait de tout ranger : les tiroirs de la commode s'ouvraient et se fermaient de plus en plus vite pour accueillir les vêtements pliés, les derniers jouets qui traînaient se précipitaient dans les coffres.

« Il est temps d'aller nous promener au parc ! déclara Mary Poppins, déjà vêtue de son manteau, coiffée de son chapeau, et battant la mesure avec son curieux parapluie pour que les enfants se pressent un peu.

– J'ai pas envie d'y allcr ! grommcla Michael. C'est plus drôle ici.

– Mettez immédiatement vos chapeaux et vos manteaux. En avant, marche ! » ordonna Mary Poppins.

Helen époussetait l'escalier. Complètement ahurie, elle n'eut que le temps de s'écarter pour laisser passer Mary Poppins, Jane et Michael, qui descendaient la rampe en trombe et chantaient à tue-tête. Ils sortirent sous le soleil d'avril et lui adressèrent un signe d'amitié. La femme de chambre resta figée, le chiffon à la main.

3

« Bonjour, amiral ! Beau temps de printemps ! lança aimablement Mary Poppins en passant devant le numéro 15.

– Tempête en fin d'après-midi ! annonça l'amiral Boum.

– Vous allez bien, monsieur le facteur ? demanda Mary Poppins au vieux postier.

– Mais vous connaissez tout le monde ! s'étonna Jane.

– Ouah ! ouah ! aboya Robert.

– Non, toi, tu restes avec Mlle Clark ! lui expliqua Mary Poppins. Dépêchons-nous, les enfants, si nous voulons rencontrer Bert !

– Bert ? répéta Michael : Bert comment ?

– Bert tout court », répondit Mary Poppins.

Elle saisit Jane d'une main, Michael de l'autre, et les entraîna vers le parc.

Agenouillé près de la fontaine, un jeune homme dessinait des paysages avec des craies de couleur. Et il chantait :

« *J'crayonne sur le pavé*
pour vous amuser...
J'dessine sur le trottoir,
approchez pour voir !

– Bonjour, Mary Poppins ! Bonjour, les enfants !

– Bonjour, Bert ! Je pense que tu connais Jane et Michael ?

– Bien sûr. La dernière fois que je les ai vus, ils couraient derrière un cerf-volant qui s'était échappé.

– Mary Poppins nous emmène dans le parc, annonça Michael.

– Ça m'étonnerait bien ! s'exclama Bert d'une drôle de manière. D'habitude, elle choisit des endroits plus abracadabrants...

– Oh ! que c'est joli ! s'écria Jane qui contemplait les dessins.

– Paysage anglais type. Et ce que vous ne voyez pas, c'est qu'il y a une fête foraine! précisa Bert. Pourquoi n'irions-nous pas tous les quatre?

– Comment? puisqu'il n'y a pas de route!» remarqua Michael.

Bert se baissa et traça d'un coup de craie une route de campagne.

« Allons! approchez-vous du tableau. Un peu de magie et nous y sommes! Vous pensez, vous clignez les yeux, vous papillotez...

– Et alors? rien ne se passe! Vous ne savez pas vous y prendre tous les trois! se moqua Mary Poppins. Donnez-vous la main... Un, deux, trois, SAUTEZ!

– Oh! oh!» firent les enfants, ravis de se sentir soulevés dans l'air et de se retrouver en pleine campagne, vêtus d'élégantes tenues d'été.

Mary Poppins, en robe blanche à volants et capeline ornée de dentelle, était charmante. Bert, très séduisant en blazer rayé et canotier, l'invita à danser sur l'herbe. Ils valsaient avec tant d'ardeur qu'ils allaient s'envoler!

« Vous nous aviez parlé d'une fête ! rappela Jane.

– Où est-elle, on peut y aller ? implora Michael qui ne voulait pas perdre un instant.

– Elle se trouve au-delà des arbres, derrière la colline ! indiqua Bert.

– Écoutez ! On entend d'ici la musique du manège, signala Mary Poppins. Partez devant, nous vous rejoindrons tout à l'heure ! »

Les enfants s'élancèrent avec entrain sur le chemin. Mary Poppins et Bert s'éloignèrent bras dessus bras dessous dans la campagne.

Sans toucher terre, ils arrivèrent bientôt devant une jolie ferme au toit de chaume. Un curieux bélier les accueillit en chantant, puis la voix basse du cheval retentit, celle de la vache s'éleva, enfin le chœur des oies termina le concert.

« Quel bel après-midi avec Mary ! Quelle jolie promenade entre amis ! » sifflotait Bert.

Ils reprirent leur marche et s'engagèrent sur un petit pont qui enjambait un ruisseau. Là, ils découvrirent un pavillon avec une table et deux jolies chaises de jardin.

« Garçon ! Maître d'hôtel ! » lança Bert, plein d'espoir.

La porte de la maison s'ouvrit et quatre pingouins très empressés surgirent en se dandinant.

« Commençons par une glace à la framboise, commanda Mary Poppins au maître d'hôtel qui lui tendait le menu, ensuite, nous prendrons du thé et des biscuits, merci ! »

Le goûter fut agrémenté d'une amusante danse des pingouins à laquelle Bert s'empressa de participer.

Après s'être restaurés, Mary Poppins et Bert remercièrent les pingouins puis rejoignirent Jane et Michael, toujours sur les chevaux de bois.

« Nous avons un manège rien que pour nous ! s'écriaient les enfants, heureux de voir Bert et Mary Poppins les rejoindre et tourner avec eux au son de la musique.

– Joli manège qui ne va nulle part..., se moqua Bert.

– Qui a dit que nous n'irions nulle part ? » fit remarquer Mary Poppins.

Toc ! Toc ! elle tapa avec son ombrelle sur la cabine du patron. Et elle lui murmura quelques mots… Tout sourires, l'homme à la casquette acquiesça aussitôt.

« Merci ! » dit Mary Poppins, dont le cheval de bois bondit hors du manège, entraînant derrière lui le destrier de Jane, celui de Michael et celui de Bert.

Mary Poppins, fort élégante, montait en amazone. Les chevaux s'élevaient et descendaient comme sur le manège, mais ils évoluaient dans la campagne.

« Allez, hue ! commanda Bert, tout excité.

– Du calme, nous ne sommes pas sur un champ de courses ! » lui reprocha gentiment Mary Poppins.

Au loin, des aboiements retentirent, et le son d'un cor s'éleva…

« Une chasse à courre ! s'exclama Mary Poppins qui déjà s'élançait vers la meute et les cavaliers. Suivez-moi ! »

« Taïaut ! Taïaut ! » criait le maître de chasse.

Alors un renard rouge, traqué, surgit

d’une haie, courut en zigzag à travers champs, complètement affolé.

« Allez, hop ! Grimpe là et cramponne-toi ! hurla Bert en saisissant la pauvre bête au passage.

– Nom d’un chien de chasse ! haleta l’animal. Que saint Hubert me protège ! » pria-t-il, accroché au cheval.

Derrière venaient les chasseurs sur de puissantes montures. Les chiens talonnaient Bert avec des jappements furieux.

Le maître de chasse, lancé au galop, les

eût certainement rattrapés si Mary Poppins, si belle sur son cheval de bois, n'avait pas détourné son attention. Surpris, il perdit le contrôle de son cheval qui l'envoya piquer une tête dans la rivière.

Quant à Bert, pour sauver la vie du renard rouge, il fit franchir une haie à son cheval. Les chiens voulurent en faire autant et toute la meute s'affala dans le fossé !

« Mille sabots ! jura Bert, nous sommes sur un champ de courses ! »

Dans un bruit de tonnerre arrivaient les chevaux, lancés ventre à terre !

« Ils sont fous ! gémit Bert en voyant Mary Poppins, Jane et Michael prendre part à la course. Mary Poppins gagne du terrain... Elle va passer en tête ! » marmonna-t-il, béat d'admiration, en se lançant à leur suite.

« Vas-y, Mary ! » hurla Bert.

Et elle atteignit la ligne d'arrivée, sous les applaudissements de la foule !

« Bravo ! la félicita un inconnu en lui mettant un bouquet de roses dans les bras. Vous avez été éblouissante ! »

« Quel effet cela vous fait de gagner cette course ? questionna un reporter, le crayon en main. Un mot, s'il vous plaît !

– Oui, bien sûr ! c'est : supercalifragilisticexpiadilocious ! » déclara Mary Poppins en adressant un clin d'œil à Bert qui l'avait rejointe avec les enfants.

Le journaliste, stupéfait, s'immobilisa le crayon en l'air. Jane et Michael cessèrent de sucer le sucre d'orge que leur avait donné Bert, et répétèrent en chœur :

« Supercalifragilisticexpiadilocious ! »

Le reporter ouvrait des yeux ronds, l'air hébété, quand un grondement de tonnerre se fit entendre ! En un instant le joli ciel bleu se couvrit. De grosses gouttes de pluie s'abattirent sur le champ de courses, les jockeys, la foule, les chevaux de bois !

« Venez vous abriter ! proposa Mary Poppins à Jane, tout étonnée de se retrouver devant l'entrée du parc, habillée de son manteau trop court, serrée contre Michael dans sa veste de lainage.

– Rentrons vite, les enfants ! Au revoir,

Bert! » salua Mary Poppins. De nouveau vêtue de sa tenue sombre, elle entraîna Jane et Michael sous l'averse.

Ce soir-là, dans la nursery, les chaussettes, souliers et manteaux séchaient bien alignés devant la cheminée.

« Quand on a eu les pieds mouillés, on doit avaler une cuillerée de sirop parfumé pour éviter d'être enrhumé! conseilla Mary Poppins aux enfants.

– De la menthe! s'émerveilla Jane, surprise du goût de la potion.

– Mmm ! délicieux, se délecta Michael, du sirop de fraise !

– Du rhum avec du sucre ! » savoura Mary Poppins qui referma le flacon d'un air gourmand. « Et maintenant, il faut dormir !

– Mary Poppins, vous resterez longtemps ? s'inquiéta Jane.

– Jusqu'à ce que le vent tourne ! assura-t-elle.

– Ça fait combien de temps ? demanda en bâillant Michael.

Sans attendre la réponse, il ferma les yeux et plongea dans un sommeil profond, bercé comme Jane par la jolie voix de Mary Poppins qui chantonnait.

4

« Jolie journée ! clama l'amiral Boum peu avant huit heures le lendemain matin. Personne ne doit dormir par un temps pareil ! Prépare une double charge, Boussolin ! »

Au numéro 17 de l'allée des Cerisiers, tout le monde était déjà réveillé, et de très bonne humeur, sauf M. Banks, qui terminait son petit déjeuner et souhaitait le silence.

« Winnifred, qui fait cet affreux tintamarre dans la cuisine ?

– C'est la cuisinière qui chante, mon cher Georges. Depuis l'arrivée de Mary Poppins, elle est gaie comme un pinson et elle s'entend à merveille avec Helen ! »

Après une galopade dans l'entrée, Jane et Michael surgirent dans la pièce, un bouquet

de jonquilles à la main, en s'égosillant :
« Supercalifragilisticexpiadilocious ! Supercalifragilistic...

– Stop ! Assez de bêtises ! gronda leur père, furicux.

– Bonjour, père ! dirent les enfants poliment.

– C'est Mary Poppins qui nous l'a appris, précisa Michael. C'est un mot qu'on prononce quand on ne trouve rien à dire. Hier, elle nous a emmenés au parc et nous avons rencontré Bert.

– Et il avait dessiné de très jolis tableaux à la craie sur le trottoir, continua Jane. Nous sommes allés dans le plus joli d'entre eux, et nous sommes montés sur des chevaux de bois. Mary Poppins a même gagné la course. C'était supercali...

– Cela suffit maintenant ! J'en ai assez de vos sottises. Remontez dans votre chambre, immédiatement ! » cria M. Banks, qui supportait mal les fantaisies de ses enfants.

Dépités, Jane et Michael sortirent du salon sur la pointe des pieds.

Dès que l'effroyable coup de canon de huit heures eut retenti, M. Banks, toujours ponctuel, prit son chapeau melon, son inévitable parapluie et sortit d'un pas raide.

Le temps était décidément merveilleux. Mary Poppins et les enfants avaient l'intention de faire quelques courses. Mary Poppins relisait soigneusement sa liste en s'engageant dans l'allée, lorsque Robert, le chien de Mlle Clark, leur barra le passage :

« Ouah-ouah-ouah-ouah, ouh-ouh ! ouh...

– Pas si vite, je t'en prie ! le pria Mary

Poppins. Je ne comprends pas un mot de ce que tu dis. »

Le petit chien reprit son discours plus lentement.

« Bien sûr, Robert ! lui répondit-elle. Nous y allons de ce pas. Merci de m'avoir prévenue. Pas de temps à perdre, en effet ! Toi, retourne à la maison, maintenant ! »

Robert tourna les talons. La gouvernante entraîna les enfants dans une rue qu'ils ne connaissaient pas et leur expliqua qu'il y avait une urgence ; le programme avait changé.

Elle frappa bientôt à la porte d'une jolie petite maison. C'est Bert qui vint leur ouvrir, l'air inquiet. Au même moment, un rire aigu surprit les enfants.

« Merci d'être venue, Mary Poppins. Je n'ai jamais vu l'oncle Albert aussi mal qu'aujourd'hui ! Ce qui m'ennuie, c'est que c'est très contagieux…

– On va être couvert de boutons ? s'enquit Jane.

– Certainement pas ! » affirma Mary Poppins.

Elle poussa la porte de la pièce d'où s'échappait un nouvel éclat de rire.

C'était un salon agréable, bien qu'un peu en désordre. Une voix semblait venir du plafond :

« Mary Poppins ! Quelle bonne surprise ! »

Jane et Michael levèrent aussitôt la tête : un vieux monsieur au visage hilare tournoyait autour du lustre !

« Pas possible, il tient en l'air ! murmura Michael.

– Oncle Albert, voyons ! s'exclama Mary

Poppins, vous aviez promis de ne plus…

– Oui, oui ! mais j'aime trop rire ! pouffa le monsieur.

– Je vous en supplie, quoique vous entendiez, gardez votre sérieux ! recommanda Bert aux enfants.

– Rigoler, moi, j'adore ça ! » claironnait l'oncle qui rebondissait là-haut, secoué d'un fou rire bruyant.

Bert commençait à se tordre lui aussi. « Ça n'a rien de drôle. C'est même affligeant ! » gronda Mary Poppins, l'air sévère, en tentant de retenir Bert dont les pieds se soulevaient déjà du sol…

– Ha ! ha ! oh ! hi ! hi ! fit celui-ci. Et il rejoignit l'oncle qui se mit à danser comme un fou avec lui !

– Oh ! c'est trop drôle ! gloussèrent Jane et Michael en s'envolant à leur tour.

– Redescendez immédiatement ! ordonna Mary Poppins.

– Soyez les bienvenus, mes enfants ! hoqueta l'oncle tandis qu'il exécutait des cabrioles autour du lustre.

– Jane ! Michael ! protesta Mary Poppins en voyant les enfants pirouetter là-haut et hurler de rire. Quelle tenue ! »

Enfin ils s'assirent tous les quatre dans le vide, comme sur des chaises, et l'oncle raconta des bêtises :

« J'ai un ami avec une jambe de bois qui se nomme Smith…

– Et comment s'appelle l'autre jambe ? demanda Bert avec un faux air sérieux qui déchaîna un fou rire collectif.

– J'ai un autre ami qui portait le même

pardessus depuis dix ans, reprit l'oncle. Il retourne chez le marchand pour en acheter un neuf et lui dit : c'est encore moi ! »

Nouvelles cascades de rires ininterrompues...

« Assez ! s'impatienta Mary Poppins. C'est l'heure de goûter !

– L'ennui, c'est que la table se trouve en bas et que nous sommes en haut ! observa l'oncle en retrouvant un instant son sérieux. Mary Poppins pourriez-vous la rapprocher un peu ?

– Merci ! dirent-ils en chœur lorsque la table, chargée d'un délicieux goûter, quitta le plancher !

– Je suppose que je vais devoir monter et vous servir le thé ! soupira Mary Poppins. Cessez de ricaner comme des hyènes et je viens ! » bougonna-t-elle.

Elle prit place à côté des enfants, versa le thé dans les tasses, proposa sucre, lait, tartines et gâteaux. Tous se tenaient tranquilles et goûtaient sagement. Toutefois, à la première histoire que conta Bert, les fous rires reprirent de plus belle.

« On s'amuse drôlement bien. Je voudrais que vous restiez toujours avec moi dans cette position élevée ! annonça l'oncle Albert, ce qui provoqua l'hilarité générale.

– De toute façon, on ne peut pas redescendre ! s'esclaffa Bert.

– Si ! il y a un moyen, cependant, c'est très difficile. Pensons à quelque chose de triste. Voyons, euh... Je ne peux pas ! pouffa-t-il.

– Alors, écoutez ! J'ai une histoire triste, moi ! proposa Bert. C'est une dame qui prévient sa voisine : "Je suis désolée, je viens d'écraser votre chat..." »

Les enfants se glissèrent lentement sous la table.

« "... néanmoins, je vais le remplacer ! proposa cette dame.

– Est-ce que vous savez miauler et attraper les souris ? " interrogea la voisine. »

Jane et Michael hurlèrent de rire et remontèrent au plafond.

« Bon, maintenant, ça suffit ! ordonna Mary Poppins. Les enfants, il est l'heure de rentrer ! »

Boum ! Boum ! Jane et Michael, tout tristes, se retrouvèrent par terre. Mary Poppins, qui atterrit au même moment, s'empressa de les entraîner vers le vestibule.

« Oh ! restez encore ! » gémit l'oncle, descendu lui aussi.

Mary Poppins les poussa dans la rue pour éviter qu'une autre blague de Bert les fasse s'envoler vers le plafond.

Ce soir-là, lorsque M. Banks rentra, les enfants, en tenue de nuit, l'attendaient sur une marche de l'escalier.

« Bonsoir, père ! Veux-tu entendre l'histoire de M. Smith ? demanda Michael dès qu'il vit son père ouvrir la porte.

– Je ne connais personne avec ce nom ! coupa M. Banks, sèchement.

– Oncle Albert connaît un homme avec une jambe de bois qui se nomme Smith. Et Bert a demandé : “ Et comment s'appelle l'autre jambe ? ”

– Et si tu savais ce qu'on a fait ! reprit Jane, tout excitée, on est montés au plafond pour goûter avec Mary Poppins et…

– Assez ! Assez ! hurla M. Banks. Montez vous coucher, et dites à cette Poppins que je souhaite lui parler. »

Déçus, les enfants allèrent prévenir leur gouvernante qui descendit au salon.

« Mary Poppins, vous m'avez beaucoup déçu, commença M. Banks. Je tiens à l'éducation, à la tradition, à la discipline. Un foyer anglais doit être mené avec autant de rigueur qu'une banque, sans quoi on aboutit au chaos !

– C'est bien mon avis ! admit Mary Poppins.

– J'exige qu'ils occupent leur journée de manière utile, qu'ils ne racontent pas de sottises du genre tableaux à la craie, course de chevaux, goûter au plafond, ou mots idiots, comme… super… cali… fra… ?

– Supercalifragilisticexpiadilocious ! lui souffla Mary Poppins.

– Merci ! Donc, plus de sorties hautement fantaisistes, reprit M. Banks. Il est temps qu'ils apprennent ce qu'est la vie !

– Tout à fait d'accord ! approuva Mary Poppins avec assurance. L'heure est venue pour eux de marcher sur vos traces, de se griser de chiffres alignés par colonnes, de sortir à vos côtés pour découvrir d'intéressantes choses !

– À mes côtés, bien sûr ! Mais... pour aller où ?

– À la banque, voyons ! répliqua Mary Poppins.

– Oui ! Très bonne idée ! Je les emmène demain à la banque ! s'enthousiasma M. Banks. Excellent antidote contre toutes ces bêtises dont on les abreuve toute la journée !

– Bonne nuit, monsieur ! s'empressa de dire Mary Poppins. Je vais prévenir les enfants. Demain sera une journée importante ! »

Dès qu'elle pénétra dans la chambre, ils s'écrièrent :

« Père vous a renvoyée ! On ne vous laissera pas partir...

– On ne me met jamais à la porte, leur déclara-t-elle. Et demain, vous sortez tous les deux avec votre père !

– Impossible ! Ce n'est jamais arrivé ! s'étonna Michael.

– Où nous emmène-t-il ? demanda Jane, incrédule.

– À la banque !

– Oh ! Michael, dans la City ! s'écria Jane, enchantée.

– Avant d'arriver à la banque, leur expliqua Mary Poppins, vous verrez la dame aux oiseaux. Voici ce qu'elle chante :

"Deux sous !
Deux sous pour les oiseaux qui volent
Si haut que les tours
d'la cathédrale Saint-Paul !" »

Elle n'avait pas fini le refrain qu'ils dormaient déjà…

5

À huit heures cinq précises, le lendemain matin, après le fameux coup de canon de l'amiral, Jane et Michael quittèrent la maison avec leur père. Très fiers, ils traversèrent le parc avec lui, puis le suivirent le long de rues inconnues, plutôt impressionnantes.

« Une banque est un endroit sérieux. J'exige donc une tenue parfaite ! » rappela M. Banks.

Jane et Michael trottaient derrière lui, se donnant la main pour s'encourager. Devant eux se dressa bientôt la cathédrale Saint-Paul, énorme, grise et majestueuse.

« Michael, regarde ! C'est elle ! cria Jane.

– Qui, elle ? questionna brutalement M. Banks.

– La dame aux oiseaux !

– Oui, et alors ?

– Elle chante : *“Deux sous ! Deux sous pour les oiseaux qui volent !”* expliqua Michael. Je peux lui acheter des graines pour les oiseaux ? J’ai deux sous à moi dans ma poche !

– On ne gaspille pas l’argent ! tonna M. Banks en tirant son fils vers la banque.

– Mary Poppins…

– Cessez de parler de Mary Poppins, s’il vous plaît ! Venez, je vais vous montrer, moi, ce qu’on fait avec de l’argent au lieu de le

jeter aux oiseaux! » trancha M. Banks.

Ils arrivaient devant un bâtiment sombre et imposant. Au-dessus des lourdes portes de bronze, une plaque annonçait : « Banque Davis, Thomas, Mousley, Grubbs et Cie ».

« Tenue exemplaire, n'est-ce pas! » réitéra M. Banks à ses enfants qui, le cœur serré, montaient les marches du perron.

Les portes s'ouvrirent. M. Banks semblait pressé, il marchait à grands pas, suivi de Jane et Michael. Deux messieurs sévères le saluèrent en s'écartant pour le laisser passer. M. Banks enleva son chapeau, et retira la casquette de Michael. Ils parcoururent une vaste salle bordée de grilles derrière lesquelles s'activaient des employés.

« Pourquoi sont-ils enfermés? chuchota Michael.

– Voyons, ce sont des caissiers! » rétorqua M. Banks, interloqué.

Il entraîna Jane et Michael dans un immense hall où ils rencontrèrent plusieurs personnes.

Au grand étonnement des enfants, tous

étaient vêtus exactement comme leur père : complet sombre, cravate noire, chemise blanche immaculée, chaîne de montre à la boutonnière de leur gilet, œillet rouge au revers de leur veste. Ils semblaient âgés ; leurs cheveux étaient blancs et leur moustache bien taillée.

« Voici les associés : M. Davis junior, M. Thomas, M. Mousley, M. Grubbs, » indiqua brièvement Georges Banks à ses enfants.

Une porte s'ouvrit au fond du hall ; un très, très vieux monsieur à barbe blanche, tout ratatiné, s'approchait péniblement, courbé sur sa canne.

« C'est Davis, le président fondateur, un géant de la finance ! murmura M. Banks à l'adresse de ses enfants.

– Un géant ? » répéta Michael qui se mordait les lèvres pour ne pas rire.

« Bonjour, Banks ! chevrota le président. Qu'est-ce que c'est que ça ? demanda-t-il en pointant sa canne vers Jane et Michael, effarés.

– Ce sont mes enfants, monsieur Davis !

– Bon. Et pourquoi sont-ils venus ?

– Eh bien…, hésita un instant M. Banks, qui n'avait pas prévu la question. Mon fils voudrait ouvrir un compte.

– Quelle bonne idée ! approuva M. Davis de sa vieille voix toute tremblotante. De combien disposez-vous, jeune homme ?

– J'ai deux sous, mais c'est pour nourrir les pigeons !

– Deux sous ! Excellent ! C'est ce que j'avais quand j'ai débuté, s'enthousiasma le vieillard qui s'approcha de Michael en

titubant. Est-ce que vous me permettez de les voir ?

– Non ! c'est pour les oiseaux ! protesta Michael.

– Deux sous ! répétèrent les associés avec respect.

– Écoutez-moi, jeune homme, recommanda le président : vos deux sous bien placés en banque seront sains et saufs ! Ils seront très vite investis dans le sucre, dans le tabac ! Ce sera la fortune ! Tandis que si vous les donnez aux oiseaux, cela fera seulement des oiseaux gras ! Montrez-les-moi ! » exigea le vieil homme qui s'étranglait d'impatience.

Le garçon les sortit de sa poche à regret, les exhiba un court instant, puis referma la main.

« Michael ! insista son père. Tu deviendras actionnaire, tu posséderas des navires, des plantations sur le Nil…

– Non, je veux donner des graines aux oiseaux ! s'entêta son fils en reculant un peu plus vers Jane, affolée.

– Pensez aux plantations de riz, de thé,

aux dividendes ! aux obligations ! lançaient les associés, très excités.

– Banks ! croassa le vieillard chancelant, tandis que son fils se précipitait pour le soutenir.

– Michael, confie ton argent à la banque, ce sera la fortune ! conseilla son père, affreusement mal à l'aise.

– Non ! » cria le petit garçon en reculant cette fois jusqu'au mur.

Recouvrant ses forces, le vieux M. Davis fonça sur Michael, qui ne s'y attendait pas, et lui arracha ses pièces.

« Rendez-les-moi ! vociféra Michael.

– Chut ! Tais-toi, voyons ! souffla son père, effaré.

– Rendez-moi mon argent ! » hurla Michael de toutes ses forces. Sa voix résonna à travers la banque et jusqu'à la grande salle où de nombreux clients attendaient aux guichets.

« Oh ? ça va très mal ! constata une cliente inquiète. La banque refuse de nous rendre notre argent !

– Donnez-moi ce que j'ai en compte ! Tout ce que j'ai, jusqu'au dernier sou ! » brailla un client furieux.

À chaque guichet, les clients se mirent à crier, à menacer, à exiger leur argent, tout leur argent immédiatement.

« On va à la faillite ! proclama l'un des associés. Arrêtez ! Arrêtez tous les paiements ! »

En un instant, la confusion fut totale. Le personnel et les clients couraient dans tous les sens. Les caissiers, qui tentaient de mettre leur tiroir-caisse en sûreté, se carambolaient, les pièces qui s'éparpillaient sur le sol étaient aussitôt piétinées.

La panique gagnait la rue. Deux inspecteurs essayaient en vain de fermer les lourdes portes de bronze pour empêcher les passants d'envahir la banque, les sifflets des policiers retentissaient, ajoutant encore au désordre général.

Dans cette effroyable cohue, Michael n'avait pas perdu le nord, lui ! Il en avait profité pour arracher ses deux sous au vieux président. Il avait ensuite attrapé la main de

Jane, et l'entraînait à travers la foule en délire.

« Les enfants, attendez ! Revenez ! » ordonna leur père.

Michael et Jane, jouant des coudes, se glissèrent vers la sortic.

Ils passèrent les portes avant qu'elles ne se referment, heurtèrent de plein fouet un policier, lui échappèrent habilement et s'enfuirent.

« Arrêtez-les, rattrapez ces enfants ! » tempêta l'agent.

Persuadés qu'on les poursuivait, Jane et Michael traversèrent la place, s'engouffrèrent dans une rue, puis dans une autre. Dans une sombre ruelle, une vieille femme tenta de les stopper au passage : ils l'évitèrent, apeurés. Soudain, un chien bondit sur eux en aboyant. Avec des hurlements, ils continuèrent leur course éperdue.

Michael serrait très fort la main de Jane. Au coin d'une rue, un individu tout noir s'interposa et attrapa Jane par le bras.

« Lâchez ma sœur ! brailla Michael en lançant des coups de pied.

– Hé ! cria l'homme. Vous ne reconnaissez pas votre ami ?

– Bert, c'est vous ! s'exclama Jane, ahurie. Pourquoi êtes-vous si sale, vous êtes tout noir !

– Un peu de suie par-ci, par-là ! plaisanta Bert en posant son paquet de brosses sur le sol. C'est que je suis devenu ramoneur. Que puis-je faire pour vous, les enfants ?

– Oh ! Bert, on a eu tellement peur ! gémit Jane en larmes.

– Notre père nous court après, il a lancé

la police à nos trousses et puis l'armée... et tout, et tout !

– Tu exagères ! coupa Jane en se pressant contre Bert. Elle essuya ses larmes avec des mains déjà noires de suie.

– Bon, bon, vous allez tout m'expliquer, ensuite je vous ramènerai à la maison. Il doit y avoir une erreur, car je suis certain que votre père vous aime beaucoup. Avez-vous songé comme il doit être seul dans cette triste banque sans cœur, étouffé sous des tas de billets... »

6

Avec Bert, le retour à la maison fut rapide et très joyeux. Il les tenait par la main et sautillait avec eux en chantant son nouveau refrain :

« Je suis le ramoneur porte-bonheur !
Noir de suie, mais plein de cœur ! »

Jane tira la sonnette ; Helen vint ouvrir et cria :

« Madame, ce sont les enfants !

– Mais je vous croyais avec votre père ! Vous vous êtes encore sauvés ? s'indigna Mme Banks. Montez vite retrouver Mary Poppins qui s'occupera de vous. Je suis affreusement en retard pour la grande manifestation que j'organise !

– Madame ! C'est le jour de sortie de la gouvernante ! s'empressa de dire Helen.

– Alors, surveillez-les, s'il vous plaît !

– Non, madame ! J'ai les cuivres à frotter.

– Confiez-les à la cuisinière. Je dois sortir absolument !

– Non, madame ! Elle tourne une mayonnaise...

– Monsieur, je vous en prie, aidez-moi ! supplia Mme Banks.

– Impossible ! rétorqua Bert, le Lord-Maire m'attend. Il m'a demandé de ramoner sa cheminée qui est bouchée.

– Magnifique ! La nôtre l'est aussi ! La fumée descend au lieu de monter ! Faites pour le mieux ! s'exclama Mme Banks en se précipitant vers la porte. Excusez-moi, toutes mes vaillantes compagnes m'attendent pour défiler. Merci ! Au revoir, mes chéris ! »

Une fois le calme revenu, les enfants conduisirent Bert dans le salon. Helen avait apporté des draps pour recouvrir le tapis et les meubles, afin qu'ils ne soient pas salis par la suie. Bert choisit une tête-de-loup parmi ses brosses. Puis il s'agenouilla près de la cheminée et en inspecta le conduit. Michael et Jane en firent autant.

« Pouah ! C'est noir ! constata Michael. On ne voit qu'un petit bout de ciel.

– Oui, pourtant, c'est si beau là-haut ! clama le joyeux ramoneur en introduisant une brosse dans la cheminée. C'est le seuil du pays de l'enchantement, entre pavés et nuages. Sur lcs toits de Londres, quelle beauté !

– Oh ! je serais rudement content d'y monter, confia Michael.

– Prends le manche de la tête-de-loup, lui proposa Bert.

– Attention ! recommanda Mary Poppins qui rentrait de sa promenade. On ne sait jamais ce qui peut arriver… »

À peine avait-elle parlé que, fllooup ! le garçon fut aspiré et se retrouva sur le toit.

« Michael, descends vite ! » cria Jane en se plaçant à son tour sous le conduit.

Alors, fllooup ! elle fut happée à son tour…

« On ne peut pas les laisser gambader là-haut comme des kangourous ! s'inquiéta Mary Poppins. J'y vais ! »

Elle fila aussitôt, telle une fusée, par la cheminée. Là-haut, elle retrouva les enfants perchés sur le toit, tout étonnés et couverts de suie.

« Il va falloir que je les rattrape ! » grommela Bert, resté seul dans le salon.

Et hop ! il les rejoignit au moment où Mary Poppins obligeait les enfants à mettre les manteaux et les chapeaux qu'elle avait eu la présence d'esprit de prendre.

Jane et Michael, émerveillés, découvraient

le spectacle des toits de Londres. Ils n'auraient jamais pensé qu'il puisse y avoir autant de cheminées, si belles sous la douce lumière du soleil couchant.

Pendant ce temps, Mary Poppins sortait de sa poche son poudrier rempli de suie et se poudrait consciencieusement le nez. Elle parut satisfaite du résultat et sourit à son image dans le minuscule miroir.

« On y va? lança-t-elle gaiement. En avant, marche! Une!... deux!... Une!... deux!... »

Elle brandissait son parapluie, les autres portaient chacun un balai de ramoneur sur l'épaule. Ils marchaient l'un derrière l'autre comme des petits soldats au son d'une marche militaire. Sous la conduite dc Mary Poppins, ils contournaient les cheminées, passaient d'un toit à l'autre et enjambaient les obstacles.

Ils approchaient d'un très épais nuage de fumée noire, qui inquiéta Bert et les enfants. Mary Poppins fourragea dedans avec son parapluie. À leur grande stupéfaction, il se

changea en un escalier qu'ils empruntèrent aussitôt pour atteindre le sommet d'un clocher. Et quand il fallut redescendre sur les toits des maisons, la fumée les transporta comme un ascenseur !

« Le monde entier est à nos pieds ! chantait Bert. Qui peut voir ce spectacle à part les oiseaux, les étoiles et les ramoneurs ? Vivent les cheminées qui nous charment, charment ! »

Aussitôt, de toutes les cheminées qui les entouraient, surgirent de joyeux ramoneurs qui se mirent à chanter, à danser, à sauter, à virevolter d'un toit à l'autre sur un rythme endiablé.

« Salut, les amis ! » leur cria Bert, enchanté, tandis que Jane, Michael et Mary Poppins riaient et applaudissaient.

Puis les joyeux lurons invitèrent Mary Poppins à danser. Élégante et légère, elle tournoyait avec un tel entrain que, par moments, Jane et Michael la voyaient s'envoler !

Lorsque le ballet des ramoneurs reprit,

l'amiral Boum, de garde sur son navire, les repéra et hurla :

« Boussolin ! Nous sommes attaqués par des Hottentots[1] ! Vide toute la soute aux munitions, et que ça saute ! »

Un formidable feu d'artifice illumina le crépuscule. Des fusées de toutes les couleurs jaillirent en sifflant, éblouissantes, assourdissantes !

« Cheminée ! Cheminée ! Gardez le rythme ! »

1. Peuple vivant dans le Sud-Ouest de l'Afrique.

chanta l'un des ramoneurs en cabriolant jusqu'à celle des Banks dans laquelle il s'engouffra, suivi de ses camarades.

Ce fut le mot d'ordre, répété par chacun. Tous l'imitèrent y compris Jane, Michael, Mary Poppins et Bert.

Les ramoneurs atterrirent dans le salon des Banks et recommencèrent à chanter et à danser ! Helen, effarée, fut happée par l'un d'eux. Puis Mme Brill fit son apparition, ct elle dut aussitôt entrer dans la danse !

Quand Mme Banks rentra, fière de la réussite de sa manifestation, elle découvrit dans son salon une troupe de danseurs noirs de suie. Deux ramoneurs l'accueillirent et la firent tourbillonner au risque de salir sa jolie robe.

La fête battait son plein quand, brusquement, Helen se figea sur place.

« Voilà monsieur ! s'écria-t-elle.

– C'est monsieur ! » constata Mme Brill sur le même ton.

M. Banks avait ouvert la porte et restait sur le seuil, hébété, incrédule. Après le désastre

survenu à la banque par la faute de ses enfants, il sentait que tout basculait autour de lui.

Bert comprit qu'il fallait en rester là. Un coup de sifflet strident arrêta les danseurs, qui défilèrent un par un pour serrer la main du « patron » en le remerciant poliment de son hospitalité. M. Banks rattrapa même au passage son fils, Michael, barbouillé de suie et la casquette en bataille.

« Poppins ! vociféra-t-il, fou furieux. Qui a provoqué cette scène effarante ? Veuillez m'expliquer cela immédiatement !

– Je ne donne jamais d’explications, monsieur… », déclara la gouvernante avec un charmant sourire.

À ce moment-là, le téléphone sonna et M. Banks décrocha.

Atterré, il entendit MM. Davis, père et fils, le convoquer le soir même à neuf heures pour traiter une affaire sérieuse le concernant. Georges Banks comprit alors qu’il allait être renvoyé.

7

Effondré dans un fauteuil du salon, Georges Banks tentait de se préparer à la convocation qu'il venait de recevoir.

Il serait ponctuel, comme à son habitude…

« Père ! » entendit-il soudain.

Il releva la tête et vit ses enfants qui descendaient lentement l'escalier, en tenue de nuit, la main dans la main.

« Nous regrettons au sujet des deux sous ! s'excusa Jane. Si nous avions su tous les malheurs que cela vous amènerait…

– Tenez, je vous les donne ! Michael prit la main de son père et y déposa les deux pièces.

– Vous croyez que cela va tout arranger ? demanda Jane d'une toute petite voix.

– Merci ! » murmura seulement M. Banks, très ému.

Les enfants allèrent retrouver Mary Poppins, qui les attendait sur le palier.

La pendule sonna vingt heures trente ; Georges Banks se leva, prit son chapeau, son parapluie, et sortit dans la grisaille humide du soir. Il marcha d'un pas raide jusqu'à Saint-Paul, plus sombre que jamais à cette heure tardive.

Lorsque tinta le dernier coup de neuf heures à l'horloge de la cathédrale, M. Banks souleva le lourd marteau et le laissa tomber contre la porte de la banque qui s'ouvrit aussitôt. Escorté de deux huissiers, il s'engagea dans la grande galerie à peine éclairée où tout avait été remis en ordre. Arrivé devant la porte de la salle du conseil, il s'arrêta et frappa, le cœur serré.

« Entrez ! croassa la voix du vieux président.

À l'autre bout de la vaste pièce, une seule lampe éclairait la longue table où siégeait

M. Davis senior, entouré de M. Davis junior, de MM. Thomas, Mousley et Grubbs.

« Bonsoir, messieurs ! » dit Georges Banks poliment.

Un silence glacial lui répondit, enfin rompu par un ordre rauque, lancé par le président à son fils :

« Eh bien, vas-y ! Qu'est-ce que tu attends ?

– En l'an 1773, déclama M. Davis junior, un membre de cette banque commit une erreur... Une panique s'ensuivit. Depuis cette néfaste journée, le fait ne s'est jamais reproduit jusqu'à la ruée d'aujourd'hui, provoquée par l'inqualifiable conduite de votre fils. Oserez-vous le nier ?

– J'en endosse toute la responsabilité ! déclara M. Banks.

– Alors, qu'attends-tu ? » cria le président à son fils qui, le visage menaçant, s'approcha du coupable.

D'un geste brusque, M. Davis junior arracha l'œillet rouge de la boutonnière de Georges Banks et le froissa. Puis il saisit son parapluie, qu'il ouvrit et retourna rageusement. Enfin, il creva d'un coup de poing le chapeau melon et le flanqua sur la tête de Banks.

« Avez-vous quelque chose à ajouter? chevrota le vieillard.

– Oui ! fit Banks d'un air joyeux. Un seul mot : supercalifragilisticexpiadilocious ! » Là-dessus, il partit d'un formidable éclat de rire. « Mary Poppins avait raison, pouffa-t-il. On se sent beaucoup mieux après !

– Ce mot n'existe pas ! claironna M. Davis Junior, sidéré.

– Le plus invraisemblable, c'est qu'il se trouve encore des gens comme vous ! railla Banks qui se tordait de rire.

– Petit impertinent ! bafouilla le vieux Davis stupéfait devant tant d'insolence.

– Écoutez ! J'en ai une bien bonne à vous raconter. Jane dit à Michael : “Je connais un homme avec une jambe de bois qui se nomme Smith. – Comment s'appelle l'autre jambe ?” lui demande Michael. Ha, ha, ha !

– Il est devenu fou ! gémit Davis junior.

– Supercalifragilisticexpiadilocious ! reprit Georges Banks, hilare, et il déposa les deux sous dans les mains du vieillard. Faites-en bon usage ! Adieu ! ajouta-t-il en gambadant vers la sortie. Moi, je vais sauter dans un tableau peint sur le trottoir, monter sur un cheval de bois, gagner le Derby ! »

Les banquiers restèrent muets de stupeur pendant un long moment.

« Une jambe de bois qui se nomme Smith ! » marmonna le vieux président. Il répéta la phrase une fois, deux fois, d'un air absent. Puis il enchaîna : « Comment s'appelle l'autre jambe ? Ha, ha ! Elle est bien bonne ! »

Et il se mit à glousser de rire sans pouvoir s'arrêter.

« Père ! Que vous arrive-t-il ? » s'inquiéta son fils, incapable de retenir le vieillard qui s'élevait au-dessus de son fauteuil, montait, montait, secoué d'un fou rire irrépressible.

Cette nuit-là, le vent tourna. L'amiral Boum s'en rendit compte dès le matin : sa belle girouette avait changé de direction. Son coup de canon de huit heures n'en fut que plus conquérant.

Au numéro 17 de l'allée des Cerisiers, Jane et Michael assistaient, désolés, aux préparatifs de départ de la gouvernante qui remplissait son sac de voyage.

« Mary Poppins ! On croyait que vous nous aimiez ! bredouilla Jane.

– Qu'est-ce que je deviendrais s'il me fallait aimer tous les enfants dont j'ai la garde ! repartit celle-ci.

– Vous deviez rester jusqu'à ce que le vent tourne !

– Il a tourné ! Passez-moi le lampadaire, s'il vous plaît. »

À l'étage au-dessous, dans le salon, la panique régnait : Georges Banks n'avait pas reparu depuis sa convocation à la banque ! Mme Banks, horriblement anxieuse, ne savait que faire et jetait sans cesse des coups d'œil inquiets vers le policier qui enquêtait au téléphone.

« Il faut draguer la Tamise ! murmura Helen, il a peut-être eu un geste de désespoir... »

À cet instant, ils entendirent chanter à tue-tête. La voix se rapprochait. Elle ressemblait à…

« C'est lui ! C'est Georges ! cria Mme Banks, soulagée.

– Silence ! » gronda le policier, toujours au téléphone.

Des bruits de pas résonnèrent dans l'escalier de la cave et la porte s'ouvrit en coup de vent : Georges Banks fit irruption dans le salon, le cerf-volant des enfants à la main.

« J'ai été renvoyé, ma chérie, jeté dehors ! » annonça-t-il joyeusement, et il entraîna sa femme dans une danse folle.

« Papa ! s'exclamèrent les enfants qui dévalaient l'escalier pour le rejoindre. Tu as réparé notre cerf-volant. Oh, merci ! mais comment as-tu fait ?

– Avec deux sous de ficelle et de papier ! chanta leur père. Nous allons le lancer immédiatement, venez vite au parc !

– Attendez ! » Mme Banks détacha son ruban de suffragette et le noua au cerf-volant. « Allons-y maintenant ! »

Ils s'élancèrent en famille, chantant et dansant dans l'allée des Cerisiers. De sa fenêtre, Mary Poppins les regardait partir, avec un petit sourire nostalgique.

« Pas de reconnaissance ! Même pas un au revoir ! jacassa son parapluie à tête de perroquet. Ils pensent plus à leur père qu'à vous…

– C'est normal ! » conclut Mary Poppins, très émue malgré tout.

À l'entrée du parc, parmi la foule massée autour de Bert devenu vendeur de cerfs-

volants, plusieurs messieurs âgés, vêtus de noir, manœuvraient leurs cerfs-volants avec enthousiasme : MM. Davis junior, Thomas, Mousley et Grubbs !

« Oh ! Banks ! le héla Davis. Votre histoire a tant amusé mon père, qu'il s'est envolé, mort de rire ! Jamais je ne l'avais vu aussi heureux. Son départ nous oblige à prendre un nouvel associé. Félicitations ! »

Sans lâcher son cerf-volant, Davis détacha l'œillet de son revers et le lui mit à la boutonnière.

« Je vous remercie beaucoup ! » prononça Georges Banks, rayonnant.

Au même moment, Mary Poppins, sur le seuil de la maison des Banks, ouvrait son parapluie et se laissait doucement emporter par le vent loin de l'allée des Cerisiers et du parc.

« Au revoir, Mary Poppins ! Reviens vite ! » murmura Bert, qui fut le seul avec le petit chien de Mlle Clark à la voir s'éloigner.

TABLE

Imprimé en France par Jean Lamour 54320 Maxéville
Dépôt légal n° 9534 - Septembre 1994 - 46.25.1014.01/3
ISBN 2.23.000367.4 - Loi n° 49-956 du 16 juillet 1949
sur les publications destinées à la jeunesse.